中国工程建设协会标准

住宅排气道系统应用技术规程

Technical specification for application of exhaust duct system in residential buildings

CECS 390:2014

主编单位：中国建筑标准设计研究院有限公司
　　　　　北京丹轩厨卫技术中心
批准单位：中国工程建设标准化协会
施行日期：2　0　1　5　年　4　月　1　日

中国计划出版社

2014　北　京

中国工程建设协会标准
住宅排气道系统应用
技术规程
CECS 390:2014

☆

中国计划出版社出版
网址:www.jhpress.com
地址:北京市西城区木樨地北里甲11号国宏大厦C座3层
邮政编码:100038　电话:(010)63906433(发行部)
新华书店北京发行所发行
廊坊市海涛印刷有限公司印刷

850mm×1168mm　1/32　1.25印张　30千字
2015年3月第1版　2015年3月第1次印刷
印数1—5080册

☆

统一书号:1580242・595
定价:15.00元

版权所有　侵权必究
侵权举报电话:(010)63906404
如有印装质量问题,请寄本社出版部调换

中国工程建设标准化协会公告

第 186 号

关于发布《住宅排气道系统应用技术规程》的公告

根据中国工程建设标准化协会《关于印发〈2013年第一批工程建设协会标准制订、修订计划〉的通知》(建标协字〔2013〕057号)的要求,由中国建筑标准设计研究院有限公司、北京丹轩厨卫技术中心等单位编制的《住宅排气道系统应用技术规程》,经本协会防火防爆专业委员会组织审查,现批准发布,编号为 CECS 390：2014,自 2015 年 4 月 1 日起施行。

中国工程建设标准化协会
二〇一四年十二月二十五日

前 言

根据中国工程建设标准化协会《关于印发〈2013年第一批工程建设协会标准制订、修订计划〉的通知》(建标协字〔2013〕057号)的要求,制定本规程。

本规程是在总结我国住宅排气道系统应用于建筑工程的设计、安装和验收经验的基础上,广泛征求有关科研、设计、施工、生产管理等单位的意见,并参考了发达国家的相关标准编制而成的。

本规程分为6章和5个附录。主要技术内容包括:总则、术语、基本规定、设计、施工和验收等。

本规程的某些内容涉及专利,涉及专利的具体技术问题,使用者可与本规程的参编单位协商处理。本规程的发布机构不承担识别这些专利的责任。

本规程由中国工程建设标准化协会防火防爆专业委员会归口管理,由中国建筑标准设计研究院有限公司(地址:北京市海淀区首体南路9号主语国际2号楼,邮政编码:100048)负责解释。在使用过程中如有需要修改或补充之处,请将意见和有关资料寄送解释单位。

主编单位:中国建筑标准设计研究院有限公司
　　　　　北京丹轩厨卫技术中心
参编单位:中国房地产研究会住宅设施委员会
　　　　　北京华新双益轻质建筑材料有限公司
　　　　　中国建筑科学研究院
　　　　　北京市公安消防总队
　　　　　公安部四川消防研究所
　　　　　上海恒生水泥制品厂

北京利豪珈源建材有限公司
北京顺天佑金茂建筑材料有限公司
深圳市万居科技股份有限公司
北京东辰建材有限公司
广州市彩蝶节能技术有限公司
曼圣节能科技(上海)有限公司
杭州小米环境科技有限公司
中建海峡建设发展有限公司
东莞市顺利美节能建材科技有限公司
杭州老板电器股份有限公司
中建三局第二建设工程有限责任公司

主要起草人： 张霄云　林　涛　龚守义　李效禹　郑红梅
佟连华　王　炯　唐　刚　高庆文　张广忠
张　琦　王殿明　聂法玉　孙　蕊　王启定
王仁林　郑志坚　冯才云　洪　琦　唐新叶
姚军茹　郭建华

主要审查人： 吴德绳　张树君　王岳人　杨嗣信　王建明
任　彤　陈伟涛

目 次

1 总 则 ……………………………………………………（ 1 ）
2 术 语 ……………………………………………………（ 2 ）
3 基本规定 …………………………………………………（ 4 ）
4 设 计 ……………………………………………………（ 6 ）
 4.1 一般规定 ……………………………………………（ 6 ）
 4.2 系统设计 ……………………………………………（ 6 ）
 4.3 排气道管体设计 ……………………………………（ 7 ）
 4.4 进气口设计 …………………………………………（ 7 ）
 4.5 防倒灌风帽设计 ……………………………………（ 8 ）
5 施 工 ……………………………………………………（ 9 ）
 5.1 一般规定 ……………………………………………（ 9 ）
 5.2 进场检验 ……………………………………………（ 9 ）
 5.3 排气道安装 …………………………………………（11）
 5.4 防倒灌风帽安装 ……………………………………（12）
 5.5 防火止回阀安装 ……………………………………（12）
6 验 收 ……………………………………………………（13）
 6.1 一般规定 ……………………………………………（13）
 6.2 系统通风性能检测 …………………………………（13）
 6.3 质量验收 ……………………………………………（14）
附录 A 住宅排气道系统资料验收记录 …………………（16）
附录 B 住宅排气道系统隐蔽工程验收记录 ……………（17）
附录 C 住宅排气道系统施工过程验收记录 ……………（18）
附录 D 住宅排气道系统检测验收记录 …………………（19）
附录 E 住宅排气道系统验收结论汇总 …………………（20）

本规程用词说明 …………………………………………（21）
引用标准名录 ……………………………………………（22）
附:条文说明 ………………………………………………（23）

Contents

1 General provisions (1)
2 Terms (2)
3 Basic requirements (4)
4 Design (6)
    4.1 General requirements (6)
    4.2 System design (6)
    4.3 Exhaust duct design (7)
    4.4 Air inlet design (7)
    4.5 Anti-backflow hood design (8)
5 Construction (9)
    5.1 General requirements (9)
    5.2 Incoming inspection (9)
    5.3 Installation of exhaust duct (11)
    5.4 Installation of anti-backflow hood (12)
    5.5 Installation of fire resisting check damper (12)
6 Acceptance (13)
    6.1 General requirements (13)
    6.2 Ventilation performance testing (13)
    6.3 Quality acceptance (14)
Appendix A Information acceptance record of exhaust duct system in residential buildings (16)
Appendix B Acceptance record of concealed work of exhaust duct system in residential buildings (17)

Appendix C   Acceptance record of construction process of
             exhaust duct system in residential
             buildings .... (18)
Appendix D   Inspection acceptance record of exhaust
             duct system in residential buildings .... (19)
Appendix E   Acceptance conclusion summary of exhaust
             duct system in residential buildings .... (20)
Explanation of wording in this specification .... (21)
List of quoted standards .... (22)
Addition: Explanation of provisions .... (23)

1 总　　则

1.0.1 为保证住宅排气道工程质量,使住宅排气道系统满足适用、安全、经济、改善通风环境等性能要求,制定本规程。

1.0.2 本规程适用于新建、改建、扩建的住宅及商、住两用住宅的厨房、卫生间等排气道系统的设计、施工及验收。

1.0.3 住宅排气道系统除应符合本规程外,尚应符合国家现行有关标准的规定。

2 术　语

2.0.1 住宅排气道系统　exhaust duct system

由排气道、防火止回阀、防倒灌风帽成套组合形成，用于排除厨房炊事过程中产生的油烟气或卫生间浊气，同时具备防回流功能的整体系统。

2.0.2 排气道　exhaust duct

用于排除厨房炊事活动产生的烟气或卫生间浊气的具有导流功能的管道制品。

2.0.3 单孔结构排气道　single-hole structure of exhaust duct

一种由建筑材料制成的、竖向单孔断面管道结构的排气道。

2.0.4 多孔结构排气道　multi-holes structure of exhaust duct

一种由建筑材料制成的、竖向多孔断面管道结构的排气道。

2.0.5 奇、偶数层结构排气道　odd and even floor structure of exhaust duct

一种矩形双孔结构排气道，由左、右主管道组成，通过隔板将奇数层和偶数层的进气口分设在两个不同的主管道上，在进气口处设置具有防回流功能的导流装置。

2.0.6 防火止回阀　fire resisting check damper

安装在排气道进气口处，风机工作时呈开启状态（排出废气），风机不工作时处于自然关闭状态（防止废气回流），室内或共用排气道内气温达到规定值时可自动关闭，并在规定时间内能满足耐火性能要求，起隔烟阻火作用的阀门。

2.0.7 故障报警输出装置　failure alarm output device

处于正常工作状态下的防火止回阀,当因故障而关闭(不能排气)时,能显示故障状态的警示标志或信号输出的装置。

2.0.8 导流装置　guiding device

安装在排气道进气口处,具有导流功能的组件。

2.0.9 防倒灌风帽　anti-backflow hood

安装于排气道出屋顶处,排除废气,防止风、雨、雪等进入排气道内的装置。

2.0.10 耐火砂浆掺合料　refractory mortar admixture

一种按固定比例添加到排气道制作材料中的用于提高排气道耐火极限的掺合材料。

3 基本规定

3.0.1 住宅排气道系统应采用符合国家现行相关标准要求的组件。

3.0.2 排气道系统通风性能应符合下列规定：

　　1 住宅厨房排气道系统每户排风量应为 $300m^3/h \sim 500m^3/h$，且应防火、不倒灌。

　　2 住宅卫生间排气道系统每户排风量应为 $80m^3/h \sim 100m^3/h$，且应防火、不倒灌。

3.0.3 排气道管体耐火极限不应低于1h。

3.0.4 排气道外壁进气口下部应标有产品商标或生产企业名称、产品的型号、安装层号和气流方向（↑）等。

3.0.5 排气道壁厚不应小于10mm。

3.0.6 排气道管体成品允许偏差应符合表3.0.6的规定。

表3.0.6 排气道管体成品允许偏差

项目名称		允许偏差（mm）
长度		−9.0
壁厚		0.4
横截面外轮廓尺寸	长边	−4.2
	短边	−3.2
横截面对角线		0.7
端面垂直度		≤1:400
平整度		≤7

3.0.7 网布应符合现行行业标准《耐碱玻璃纤维网布》JC/T 841的有关规定。

3.0.8 界面剂应符合现行行业标准《混凝土界面处理剂》JC/T 907 的有关规定。

3.0.9 建筑用砂应符合现行国家标准《建设用砂》GB/T 14684 的有关规定。

3.0.10 防火止回阀性能应符合国家现行标准《建筑通风和排烟系统用防火阀门》GB 15930 和《排油烟气防火止回阀》GA/T 798 的有关规定。

3.0.11 导流装置的耐火极限不应低于 1h，并应与排气道保持完整、不脱落。

3.0.12 防倒灌风帽应采用不燃材料制作，在保证排气道内气体正常排出的情况下，应防止风、雨、雪等进入排气道内。

4 设 计

4.1 一般规定

4.1.1 排气道系统的设计应符合现行国家标准《住宅设计规范》GB 50096、《住宅建筑规范》GB 50368 的有关规定。

4.1.2 排气道主风道通风截面尺寸设计应符合国家现行标准《民用建筑供暖通风与空气调节设计规范》GB 50736 和《建筑通风效果测试与评价标准》JGJ/T 309 的有关规定。

4.1.3 排气道系统应进行整体设计,并选用同一系统的排气道管体、导流装置、防火止回阀和防倒灌风帽等定型产品。

4.1.4 燃气热水器排烟管严禁接入排气道中。

4.1.5 太阳能热水器的水、电管线严禁接入排气道中。

4.1.6 任何管线严禁横向或竖向穿越排气道。

4.2 系统设计

4.2.1 排气道系统施工图设计应符合下列规定:

1 排气道和设备布置平面图应以正投影法绘制。

2 剖面图应在平面图基础上选择反映系统全貌的部位垂直剖切后绘制。

3 应注明排气道、进气口标高。

4.2.2 排气道系统布置应根据住宅厨卫建筑平面布置、厨房炊事操作和卫生间的使用要求确定,并可布置在下列位置:

1 设于厨房、卫生间靠近内墙侧。

2 设于厨房、卫生间侧墙。

3 设于厨房、卫生间靠近外墙内侧。

4 当厨房和卫生间相毗邻时,可将厨房排气道和卫生间排气道同设于厨房内或卫生间内。

  5 设于靠近厨房、卫生间的储藏室或阳台内。

  6 当用于既有建筑改造时,排气道可附设在建筑外墙。

4.2.3 排气道应伸出屋面,伸出高度应有利于烟气扩散,并应根据屋面形式、排出口周围遮挡物的高度、距离和积雪深度确定。平屋面伸出高度不得小于0.6m,且不得低于女儿墙的高度。坡屋面伸出高度应符合下列规定:

  1 排气道中心线距屋脊小于1.5m时,应高出屋脊0.6m。

  2 排气道中心线距屋脊1.5m～3m时,应高于屋脊,且伸出屋面高度不得小于0.6m。

  3 排气道中心线距屋脊大于3m时,其顶部与屋脊的连线同水平线之间的夹角不应大于10°,且伸出屋面高度不得小于0.6m。

4.2.4 排气道的楼板预留孔洞尺寸应根据排气道截面各边增加50mm确定。

4.3 排气道管体设计

4.3.1 排气道应竖向垂直布置,不应中途转弯或水平布置。

4.3.2 厨房和卫生间严禁共用同一排气道系统。同一层内厨房排气道系统应单独设置,不应将同一层内两个厨房的排气道接入同一个排气道系统内。套内毗邻卫生间可共用同一排气道系统。

4.3.3 住宅排气道系统应做承托处理,承托间隔不应超过5层。

4.4 进气口设计

4.4.1 排气道内进气口位置应设有防止排气道内烟气倒灌的导流装置,并符合下列规定:

  1 单孔结构排气道内进气口位置应安装导流装置,并加装防火止回阀。

  2 多孔结构排气道的支管接口件进气口位置应安装导流装置。当支管接口件进气口的高度小于0.6m时,应安装防火止回阀。当支管接口件进气口的高度大于0.6m,且穿过两层楼板,隔层分区时,可免装防火止回阀。

  3 当在奇、偶数层结构排气道内的进气口两侧设置导流装置,且导流装置与主管道连接的三通夹角向上不应大于30°,隔层分区时,可免装防火止回阀。

4.4.2 厨房排气道进气口接口直径宜为160mm,卫生间排气道进气口接口直径宜为100mm。

4.4.3 排气道进气口设置在吊顶内时,进气口垂直下方吊顶应设置检修口。

4.5 防倒灌风帽设计

4.5.1 竖向排气道防倒灌风帽的安装高度不应低于相邻建筑砌筑体。

4.5.2 防倒灌风帽出气口有效总面积不应小于排气道通风横截面积。

4.5.3 防倒灌风帽宜选用与住宅建筑主体同寿命、免维护的产品。

5 施 工

5.1 一般规定

5.1.1 排气道系统施工安装之前,应具备下列条件:
　　1 经规定程序审批的设计图集及其他设计文件齐全。
　　2 住宅排气道系统中的排气道、防火止回阀等具备产品合格证、产品物理性能检验报告、耐火极限型式检验报告、系统通风水平性能检验报告。
　　3 楼板预留孔洞的尺寸、位置不应有偏移。
　　4 有经批准的施工方案,并进行技术交底。
　　5 材料、施工队伍、机具等已准备就绪,能保证正常施工并符合质量要求。
　　6 施工现场有材料存放场地,满足施工需要。
5.1.2 排气道系统材料进场后,应分类挂牌堆放,对需防晒、防雨的材料应采取防晒、防雨措施。
5.1.3 排气道系统安装施工工艺流程可按图5.1.3进行。

5.2 进场检验

5.2.1 排气道系统进场后,应对下列项目进行检查:
　　1 应对排气道的结构、型号、层号、导流装置标识、气流方向、进风口位置和外观进行检查,并对出现的一般缺陷及时修补。
　　2 应对防火止回阀的型号、尺寸、安装方向、故障报警输出装置、关闭可靠性、密封性、外观进行检查。
　　3 应对防倒灌风帽的型号、尺寸、外观进行检查。
5.2.2 排气道系统抽样检查数量应按不同规格每2000根为一个批次,不足2000根应按一个批次进行。抽检项目应符合下列规定：

1 排气道抽检项目应包括壁厚和尺寸偏差。

2 防火止回阀抽检项目应按现行行业标准《消防产品现场检查判定规则》GA 588—2012 中第 6.12.3 条的相关规定执行。

3 防倒灌风帽抽检项目应为出气口的有效总面积。

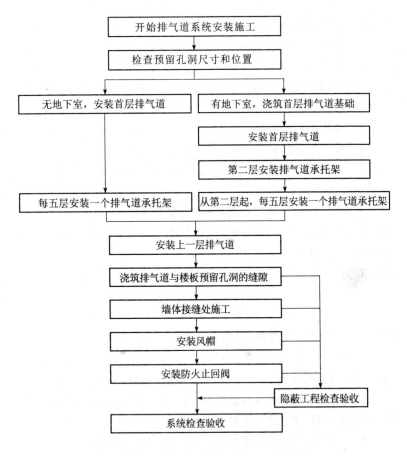

图 5.1.3 排气道系统安装施工工艺流程

5.3 排气道安装

5.3.1 安装前,应从上面吊挂垂直中心线,弹出中心线,并在楼板和墙面上弹出两条正交的中心线,做好标记。

5.3.2 有地下室时,首层楼板应采用C20混凝土做基础,依据测量中心线标记安装排气道,校正中心线后固定,排气道中心线与预留洞中心线偏差不应大于5mm。排气道的垂直位置应用靠尺校正,偏差不应大于5mm。当混凝土基础强度达到设计标号的50%后,方可进行第二层管道的安装。

5.3.3 上一层排气道安装时,应在上、下两根排气道管体接缝处涂抹水泥砂浆,排气道应对准中心线,上、下排气道中心线偏差不应大于5mm,垂直偏差不应大于5mm。排气道与楼板预留孔洞之间的缝隙应用具有耐火性能C20混凝土填实。排气道与墙面的缝隙,应用耐火水泥砂浆填实。

5.3.4 在相应楼层安装承托件时,应符合设计要求。承托件与排气道之间的缝隙应进行密封处理。

5.3.5 每层排气道安装完后应对安装质量进行检查,管体安装允许偏差应符合表5.3.5的规定。

表5.3.5 排气道管体安装允许偏差

检验项目	允许偏差（mm）	检验方法
中心线	±5	用经纬仪进行校对
平整度	≤10	用靠尺和塞尺检查
垂直度	≤5	用靠尺线坠检查
上下层错位	±5	吊线钢尺检查

5.3.6 排气道应按管体上标识的层号、气流方向和图纸设计的风口方向进行安装。

5.3.7 奇、偶数层结构排气道安装应按层号、进气口开口位置和导流装置的标识进行安装。

5.4 防倒灌风帽安装

5.4.1 风帽安装前,应具备下列条件:
 1 风帽安装基座的位置、尺寸和高度等应符合设计要求。
 2 在风帽基座的上平面放置25mm×25mm钢板网,用1:2水泥砂浆抹平。

5.4.2 使用正投影法校正风帽,中心线应与基座中心线保持一致。

5.4.3 当采用膨胀螺栓连接或采用钢筋由风帽顶部至基座贯穿连接的方式时,应将风帽固定在基座上。

5.4.4 风帽靠墙安装时,与墙体之间的缝隙应采取防水保温处理。

5.5 防火止回阀安装

5.5.1 防火止回阀应自上而下逐层安装,安装前应先检查防火止回阀外形的完整性及操作机构的灵活性。

5.5.2 防火止回阀应采用镀锌螺栓将其固定在排气道预留进气口处,防火止回阀与排气道的接缝处应采取密封处理。

5.5.3 防火止回阀安装完后,应检查阀片启闭状况等操作性能。

6 验 收

6.1 一般规定

6.1.1 排气道系统应进行工程验收,由施工单位组织建设、监理和设计单位联合验收。验收应按附录 A、附录 B、附录 C、附录 D、附录 E 做好记录、签字并归档。

6.1.2 排气道系统工程质量验收应提供下列资料:
    1 合同或协议书。
    2 住宅排气道系统设计文件。
    3 主要材料、设备、成品的出厂合格证明和进场检验报告。
    4 住宅排气道系统施工文件。
    5 工程质量事故处理记录。
    6 隐蔽工程的验收记录。
    7 施工工程过程验收记录。
    8 排气道系统检测验收记录。
    9 申请竣工验收报告。
    10 工程竣工核算报告。

6.1.3 验收应按排气道系统或住宅单元划分。

6.2 系统通风性能检测

6.2.1 排气道系统安装后,应进行现场防窜烟、防倒灌性能检测。

6.2.2 现场防窜烟、防倒灌性能按下列要求进行检测:
    1 检测数量:排气道系统性能检测采取抽样检查方式,数量按不同系统抽检一次。
    2 检测设备:风机(风压 180Pa～250Pa,排风量 500m^3/h)、烟雾弹。

3 检测方法:烟雾试验,随机选一楼层,在排气道进气口处使用风机,连续抽入烟雾,目测各层排气道接驳处及非开机层进气口不应有烟气漏出。

6.3 质量验收

6.3.1 排气道系统的验收应符合表6.3.1的要求。

表6.3.1 排气道系统验收项目

项目	要求
排气道管体安装允许偏差	按本规程第5.3.5条执行
排气道系统垂直度	中心线偏差不应大于5mm
排气道外立面与墙立面的缝隙处理	应用玻纤增强水泥砂浆粉刷,粉刷层的厚度不应大于10mm
排气道系统通风性能检测	按本规程第6.2节执行
平整度	不应大于10mm
相邻排气道断面密封程度	严实

6.3.2 排气道组件的验收应符合表6.3.2的要求。

表6.3.2 排气道组件验收项目

项目		要求
排气道性能	外观质量	符合《住宅厨房、卫生间排气道》JG/T 194的规定
	尺寸与行位允许偏差	
	垂直承载力	
	抗柔性冲击	
	耐火性 耐火极限	耐火极限应大于1h。导流装置、防火止回阀不脱落、不变形
	耐火性 隔热性	耐火极限1h时,背火面平均温度<140℃,任一点温度<180℃
	耐火性 保持差压	耐火极限1h时,保持(300±15)Pa差压

续表 6.3.2

项 目		要 求
防火止回阀性能	耐火性	耐火极限不应低于1h
	火灾时关闭可靠性	温感器动作后,防火止回阀应自动关闭,手动开启/复位
	关闭可靠性	10次关闭操作中,防火止回阀应能从开启位置可靠地关闭,各零部件应无变形、磨损及其他影响其密封性能的损伤
	一般工况	油烟机正常工作时应能开启
防倒灌风帽	外观	应表面光滑
	出气口面积	出气口有效总面积不应小于排气道通风横截面积

6.3.3 符合本规程第 6.3.1 条和第 6.3.2 条规定的工程,验收为合格。

附录 A 住宅排气道系统资料验收记录

表 A 住宅排气道系统资料验收记录表

序号	验 收 内 容	验 收 结 果
1	合同或协议书	□合格　　□不合格
2	住宅排气道系统设计文件	□合格　　□不合格
3	主要材料、设备、成品的出厂合格证明和进场检验报告	□合格　　□不合格
4	住宅排气道系统施工文件	□合格　　□不合格
5	工程质量事故处理记录	□合格　　□不合格
6	隐蔽工程的验收记录	□合格　　□不合格
7	施工工程过程验收记录	□合格　　□不合格
8	排气道系统检测验收记录	□合格　　□不合格
9	申请竣工验收报告	□合格　　□不合格
10	工程竣工核算报告	□合格　　□不合格

验收结果：

资料验收结论：

资料验收人员签名：

验收日期：

附录 B 住宅排气道系统隐蔽工程验收记录

表 B 住宅排气道系统隐蔽工程验收记录表

工程名称:			
建设单位/总包单位		施工单位	监理单位
隐蔽工程内容	序号	检查内容	安装质量
	1	排气道管体	□合格 □不合格
	2	管体对接密封	□合格 □不合格
	3	导流装置	□合格 □不合格
	4	排气道承托	□合格 □不合格
	5	管体与墙面接缝	□合格 □不合格
	6	风帽基座	□合格 □不合格
验收意见			
建设单位/总包单位		施工单位	监理单位
验收人: 日期: 签章:		验收人: 日期: 签章:	验收人: 日期: 签章:

附录 C 住宅排气道系统施工过程验收记录

表 C 住宅排气道系统施工过程验收记录表

序号	验收项目		验收依据	外观检查
1	排气系统安装质量	排气道管体	按本规程施工的要求	□合格 □不合格
2		导流装置		□合格 □不合格
3		防火止回阀		□合格 □不合格
4		防倒灌风帽		□合格 □不合格

外观检测统计:	施工过程验收结论:
施工过程验收人员签名:	验收日期:

附录D 住宅排气道系统检测验收记录

表D 住宅排气道系统检测验收记录表

序号	验收项目	验收依据	系统检测	
1	排气道管体安装允许偏差	按本规程	□合格	□不合格
2	排气道系统垂直度		□合格	□不合格
3	排气道外立面与墙立面的缝隙处理		□合格	□不合格
4	排气道系统通风性能检测		□合格	□不合格
5	平整度		□合格	□不合格
6	相邻排气道断面密封程度		□合格	□不合格

验收结果:

系统检测验收结论:

系统检测验收人员签名:

验收日期:

附录 E 住宅排气道系统验收结论汇总

表 E 住宅排气道系统验收结论汇总表

工程名称:			设计单位:	施工单位:
资料验收结论	□合格	□不合格	验收人签名: 年 月 日	
隐蔽工程验收结论	□合格	□不合格	验收人签名: 年 月 日	
施工过程验收结论	□合格	□不合格	验收人签名: 年 月 日	
系统检测验收结论	□合格	□不合格	验收人签名: 年 月 日	
建议与要求: 年 月 日				
建设单位签名: 年 月 日	设计单位签名: 年 月 日		施工单位签名: 年 月 日	监理单位签名: 年 月 日

注:资料验收、隐蔽工程验收、施工过程验收、系统检测验收四项结论中,如果有一项不合格,不能通过验收,经整改合格后再填写本表。

本规程用词说明

1 为便于在执行本规程条文时区别对待,对要求严格程度不同的用词说明如下:
  1）表示很严格,非这样做不可的:
    正面词采用"必须",反面词采用"严禁";
  2）表示严格,在正常情况下均应这样做的:
    正面词采用"应",反面词采用"不应"或"不得";
  3）表示允许稍有选择,在条件许可时首先应这样做的:
    正面词采用"宜",反面词采用"不宜";
  4）表示有选择,在一定条件下可以这样做的,采用"可"。

2 条文中指明应按其他有关标准执行的写法为:"应符合……的规定"或"应按……执行"。

引用标准名录

《住宅设计规范》GB 50096
《住宅建筑规范》GB 50368
《民用建筑供暖通风与空气调节设计规范》GB 50736
《建筑通风效果测试与评价标准》JGJ/T 309
《建设用砂》GB/T 14684
《建筑通风和排烟系统用防火阀门》GB 15930
《消防产品现场检查判定规则》GA 588
《排油烟气防火止回阀》GA/T 798
《耐碱玻璃纤维网布》JC/T 841
《混凝土界面处理剂》JC/T 907
《住宅厨房、卫生间排气道》JG/T 194

中国工程建设协会标准

住宅排气道系统应用
技术规程

CECS 390:2014

条文说明

目 次

2 术 语 ……………………………………………… (27)
3 基本规定 ………………………………………… (28)
4 设 计 ……………………………………………… (29)
   4.2 系统设计 …………………………………… (29)
5 施 工 ……………………………………………… (30)
   5.2 进场检验 …………………………………… (30)
   5.3 排气道安装 ………………………………… (30)

2 术　　语

2.0.1 本条术语与现行国家标准《住宅设计规范》GB/T 50096 一致。

2.0.2 本条术语与现行行业标准《住宅厨房、卫生间排气道》JG/T 194 一致。

2.0.6、2.0.7 这两条术语与现行行业标准《排油烟气防火止回阀》GA/T798 一致。

2.0.8 利用空气动力学伯努利方程原理，在进气口处设置的导流配件，在同时开机率较低时，进气口呈负压状态；在同时开机率较高时，减小进气口正压，以达到规范规定的排气量标准，同时由防火止回阀联合组成的导流功能组件。

2.0.10 掺合料按比例添加到由低碱度硫铝酸盐水泥或硅酸盐水泥组成的排气道材料中，使排气道的耐火极限达到 1h 以上。

3 基本规定

3.0.2 本条依据现行行业标准《建筑通风效果测试与评价标准》JGJ/T 309 的有关规定制定。

3.0.3 本条与现行国家标准《建筑构建耐火试验方法 第1部分：通用要求》GB/T 9978.1、《通风管道耐火试验方法》GB/T 17428 的有关规定一致。

3.0.12 防倒灌风帽应与整个排气道系统的耐火极限保持一致，不应低于1h。防倒灌风帽性能应符合现行行业标准《空气分布器性能试验方法》JG/T 20 的相关规定。

4 设 计

4.2 系统设计

4.2.2 本条第4款规定当厨房和卫生间毗邻时,可以同时将厨房排气道和卫生间排气道同时设置在厨房内或者卫生间内,但是厨房和卫生间排气不能共用同一排气道系统。

5 施 工

5.2 进场检验

5.2.1 排气道修补应符合现行行业标准《住宅厨房、卫生间排气道》JG/T 194 的相关规定,壁厚应达到本规程第 3.0.5 条的要求。

5.2.2 抽检项目应满足下列要求:

排气道的壁厚和尺寸偏差应符合现行行业标准《住宅厨房、卫生间排气道》JG/T 194 的规定。

防雨盖板、防倒灌风板不宜有蜂窝麻面。表面应方正,导流凸圆弧体、支柱、支柱直径应上下一致,表面应光滑,不应有蜂窝麻面。

5.3 排气道安装

5.3.7 示例:以 24 层为例,第一个分系统 1 层~6 层,第二个分系统 7 层~12 层,第三个分系统 13 层~18 层,第四个分系统 19 层~24 层,可在同一分系统内(厨房、卫生间规格分开)分奇、偶层任意进行安装。